QUESTIONS - RÉPONSES
6/9 ANS

LES ROMAINS

NATHAN

Édition originale parue sous le titre
I Wonder Why Romans Wore Togas
Première édition : Kingfisher 1997
© 1997 Larousse plc, Londres

Édition française :
© 1998 Éditions Nathan, Paris
N° d'éditeur : 10046845
ISBN : 2-09-278207-X

Composition : PFC-Préface Dole
Imprimé en Italie

Auteur : Fiona Macdonald
Consultant : Dr Paul Roberts
Traduction : Sendra Dubrana

Direction artistique : David West
Children's Books
Dessins humoristiques Tony Kenyon
(B.L. Kearley).
Couverture : Nicki Palin

Conforme à la loi n° 49-956 du 16 juillet 1949
sur les publications destinées à la jeunesse.

SOMMAIRE

4 Qui étaient les Romains ?

5 Tous les Romains vivaient-ils à Rome ?

6 Qui dirigeait Rome ?

7 Qui naissait libre ?

7 Qui étaient les esclaves des Romains ?

8 Quelle ruse utilisait l'armée ?

9 Quels soldats partaient pour 25 ans ?

10 Qui attaqua les Romains avec des éléphants ?

11 Quels gardes romains firent AAHNG ONG ONG ?

11 Qui coupa les Romains en pièces ?

12 Qui les Romains adoraient-ils ?

14 Pourquoi étaient-elles si pâles ?

15 Comment les Romaines traitaient-elles leur coiffeur ?

15 Pourquoi les Romains portaient-ils des toges ?

16 Où les Romains prenaient-ils leur bain ?

17 Où allait-on aux toilettes ensemble ?

18 Qui habitait en hauteur ?

19 Quelles maisons avaient des trous dans le toit ?

19 Quel chien de garde était en pierre ?

20 Qui apportait esclaves, épices et soie ?

21 Où se trouvait le plus grand marché du monde ?

22 Les Romains mangeaient-ils des pizzas ?

23 Qui vomissait aux banquets ?

23 Qui mangeait allongé ?

24 Qui allait à l'école au temps des Romains ?

24 Quelle langue parlaient les Romains ?

25 Avec quoi jouaient les enfants ?

26 Pourquoi les routes étaient-elles si droites ?

27 Quels ponts étaient toujours pleins d'eau ?

28 Qui était jeté aux lions ?

29 Quel sport pratiquait-on dans l'hippodrome ?

30 Où peut-on visiter une ville romaine ?

31 Comment connaissons-nous les Romains ?

32 Index

Qui étaient les Romains ?

Les Romains vivaient à Rome il y a plus de 2 000 ans. En 100 apr. J.-C., ils avaient conquis de nombreuses terres et étaient à la tête d'un très vaste empire, l'un des plus puissants du monde antique.

● Une légende raconte que la ville de Rome fut fondée par un homme appelé Romulus. Lui et Remus, son frère jumeau, avaient été abandonnés par leurs parents et élevés par une louve.

● Il y avait de grandes différences de climat d'un endroit à l'autre de l'Empire. Les Romains souffraient de la chaleur en Égypte, aux étés étouffants…

GRANDE-BRETAGNE

mur d'Hadrien

Londres

FRANCE
(Gaule)

•Lyon

Alpes

ESPAGNE

Pyrénées

ITALIE

•Rome

Pompéi•

Carthage •

AFRIQUE

Tous les Romains vivaient-ils à Rome ?

● ... mais gelaient dans les Alpes suisses et le nord de la Grande-Bretagne, les endroits les plus froids de l'Empire.

La ville de Rome n'était pas assez grande pour accueillir tous les Romains ! L'Empire, qui s'étendait de la Grande-Bretagne au nord de l'Afrique, comptait environ 50 millions de personnes. Toutes étaient protégées par l'armée de l'Empire et devaient obéir aux lois de Rome.

L'EMPIRE ROMAIN EN 100 APR. J.-C.

mer Caspienne

mer Noire

Constantinople

ASIE MINEURE

Athènes

Éphèse

Antioche

SYRIE

mer Méditerranée

ARABIE

Alexandrie

ÉGYPTE

mer Rouge

N

● La traversée à cheval de tout l'Empire prenait presque 100 jours. C'était un voyage de presque 5 000 kilomètres.

5000 km

5

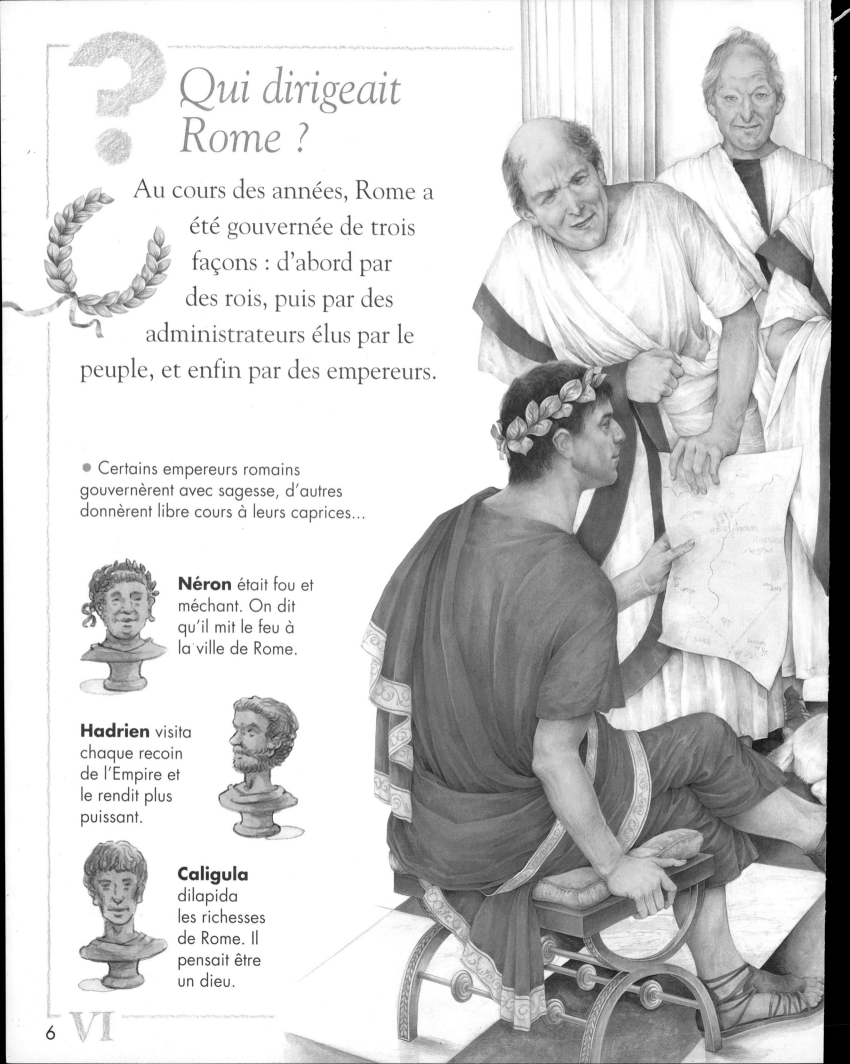

Qui dirigeait Rome ?

Au cours des années, Rome a été gouvernée de trois façons : d'abord par des rois, puis par des administrateurs élus par le peuple, et enfin par des empereurs.

● Certains empereurs romains gouvernèrent avec sagesse, d'autres donnèrent libre cours à leurs caprices...

Néron était fou et méchant. On dit qu'il mit le feu à la ville de Rome.

Hadrien visita chaque recoin de l'Empire et le rendit plus puissant.

Caligula dilapida les richesses de Rome. Il pensait être un dieu.

Qui naissait libre ?

Les citoyens romains !
Ils pouvaient voter aux
élections, avoir des places
gratuites à l'amphithéâtre et
utiliser librement les thermes
publics. Quand les temps étaient
durs, ils recevaient aussi du pain
gratuitement.

● Les Romaines n'avaient
pas le droit de vote et
devaient obéir au mari
ou au père. Mais cela
ne signifie pas qu'elles
le faisaient toujours !

Qui étaient les esclaves des Romains ?

Presque toutes les tâches pénibles
étaient accomplies par les esclaves. Ces hommes,
femmes et enfants étaient capturés à l'étranger et
vendus sur les marchés de Rome. Ils devaient
porter une plaque d'identité avec le nom et l'adresse
de leur maître, au cas où ils se perdraient.

● Le premier empereur
romain s'appelait
Auguste. Il était conseillé
par un groupe d'hommes
riches, les sénateurs,
qui étaient habitués
à diriger l'armée
et le gouvernement.

● Les esclaves
étaient parfois
libérés après des
années de bons
services, ou si leur
maître voulait se
montrer généreux.

Quelle ruse utilisait l'armée ?

Lorsque les soldats romains s'avançaient vers l'ennemi, ils utilisaient une ruse particulière appelée « la tortue ». Ils tenaient leur bouclier haut au-dessus de leur tête pour former une sorte de carapace. Cela les protégeait des lances des ennemis mais les empêchait de bien voir où ils allaient !

IV/VII/CIV.
Chère Maman, c'est terrible. Les Barbares sont fous furieux et je crois que le centurion me déteste. S'il te plaît, envoie-moi V sesterces pour manger. Ton fils bien-aimé, Marcus

● Les soldats avaient souvent faim et froid. Ils étaient nombreux à écrire à leur famille pour demander nourriture et vêtements.

● Les soldats pansaient leurs blessures avec des toiles d'araignée trempées dans du vinaigre. Rude traitement pour les araignées !

Quels soldats partaient pour 25 ans ?

La plupart des soldats devaient passer 25 ans à l'armée. Les citoyens romains étaient plus chanceux, ils pouvaient en repartir après seulement 20 ans ! Les soldats vivaient durement. Loin de chez eux, ils devaient en plus supporter un entraînement pénible et des punitions sévères.

Cuirasse en métal

Casque

Lance

Paquetage et nourriture

Poignard

Bouclier

Hache

Épée

Protection de cuir

Tunique en laine

Sandales en cuir

● Dans les régions chaudes de l'Empire, les soldats s'habillaient peu sous leurs tuniques. Dans les régions plus froides, ils portaient d'épais caleçons de laine.

Qui attaqua les Romains avec des éléphants ?

En 220 av. J.-C., Hannibal était un grand chef militaire carthaginois. Parti d'Espagne, il conduisit une puissante armée et un troupeau d'éléphants à travers les Pyrénées et les Alpes enneigées vers l'Italie, pour s'emparer des territoires romains.

Durant la bataille, les éléphants chargèrent les soldats romains, qui s'enfuirent terrorisés.

● La reine Cléopâtre d'Égypte utilisa sa beauté et son charme pour se battre contre les Romains. Elle séduisit Jules César et Marc Antoine, deux dirigeants romains.

● En Bretagne (aujourd'hui la Grande-Bretagne), les Romains construisirent le mur d'Hadrien, long de 118 kilomètres, pour repousser les invasions écossaises.

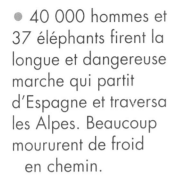

● 40 000 hommes et 37 éléphants firent la longue et dangereuse marche qui partit d'Espagne et traversa les Alpes. Beaucoup moururent de froid en chemin.

Quels gardes romains firent AAHNG ONG ONG ?

Un troupeau d'oies sacrées vivait dans les temples sur la colline du Capitole, à Rome. Par une nuit sombre, une tribu de Gaulois s'apprêtait à attaquer. Ils grimpèrent la colline, mais furent entendus par les oies, qui se mirent à cacarder, donnant l'alerte aux Romains, qui furent ainsi sauvés.

Qui coupa les Romains en pièces ?

La reine Boudicca était la reine d'un des peuples de Grande-Bretagne lorsque les Romains envahirent l'île. La légende raconte qu'elle fixait des couteaux pointus aux roues de son char et fonçait droit sur les lignes des soldats romains !

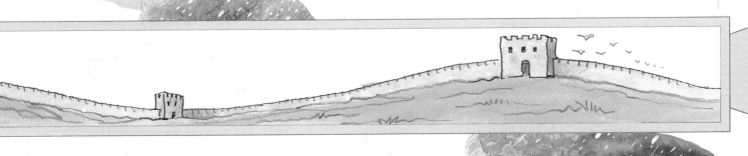

Qui les Romains adoraient-ils ?

Les Romains adoraient des centaines de dieux et de déesses. Ils pensaient que les dieux les protégeaient jour et nuit. Certains surveillaient la terre et la mer. D'autres veillaient sur les médecins, les commerçants ou les soldats. D'autres encore prenaient soin des différents aspects de la vie – santé, beauté ou amour.

Jupiter, roi des dieux

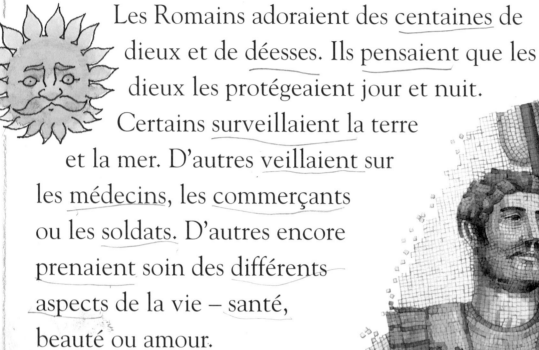

Mars, dieu de la Guerre

Vénus, déesse de l'Amour

● Les Romains pensaient que les serpents portaient chance, ils les peignaient donc sur leurs murs.

● Les Romains croyaient que des esprits vivaient dans les rivières, les bois et les champs, et protégeaient les animaux sauvages et les plantes.

Junon, reine des dieux

Les malades priaient les dieux pour guérir. S'ils se rétablissaient, ils déposaient dans le temple une statuette représentant la partie de leur corps qui avait été guérie, en guise de remerciement.

Neptune, dieu de la Mer

Diane, déesse de la Lune et de la Chasse

Les Romains érigèrent des temples pour accueillir les dieux. Chaque dieu ou déesse avait son propre temple, qui était construit dans la pierre la plus raffinée, décoré de statues et de sculptures.

Apollon, dieu du Soleil et des Arts

XIII

Pourquoi étaient-elles si pâles ?

Une peau pâle était, pour une femme, la preuve qu'elle appartenait à une famille riche et noble. Les plus pauvres devaient travailler dehors. Leur visage brunissait sous le soleil chaud d'été et devenait rêche et rouge au vent froid d'hiver.

● Les crèmes pour la peau étaient faites à base de farine, craie, plomb et lait d'ânesse.

● Les hommes élégants se parfumaient et se maquillaient. Ils masquaient boutons et cicatrices avec de petits morceaux de cuir.

● Les Romains utilisaient des peignes et des épingles à cheveux en os, des fers à friser à chaud, des pinces à épiler et de petites cuillères pour ôter la cire des oreilles.

Comment les Romaines traitaient-elles leur coiffeur ?

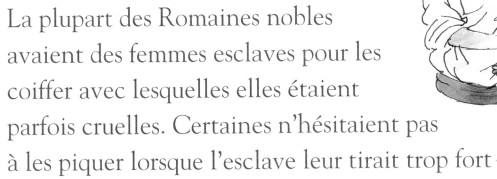

La plupart des Romaines nobles avaient des femmes esclaves pour les coiffer avec lesquelles elles étaient parfois cruelles. Certaines n'hésitaient pas à les piquer lorsque l'esclave leur tirait trop fort les cheveux – et même les fouettaient si la coiffure était ratée.

● Les perruques étaient très à la mode. Les cheveux blonds étaient pris aux esclaves allemandes, ceux de jais achetés en Inde aux femmes pauvres.

Pourquoi les Romains portaient-ils des toges ?

Interdit aux esclaves, le port de la loge était réservé aux citoyens romains. Un citoyen ordinaire avait une toge blanche unie, celle d'un sénateur était bordée de violet, tandis que celle de l'empereur était entièrement violette. Les femmes portaient des toges de différentes couleurs.

Où les Romains prenaient-ils leur bain ?

À l'époque romaine, les thermes ne servaient pas seulement à se laver. Ils ressemblaient plus aux centres de remise en forme actuels. Les Romains y allaient pour faire du sport, rencontrer leurs amis, se détendre après une dure journée de travail... et se laver !

● Les Romains n'utilisaient pratiquement pas de savon. Ils se frottaient tout le corps d'huile d'olive et l'enlevaient avec un racloir arrondi appelé un strigile. La saleté partait alors avec l'huile.

● L'air chaud des fours souterrains était utilisé pour chauffer l'eau des bains. Mais cela rendait le fond des bains très chaud, aussi certains Romains portaient des sandales !

● Certains thermes publics avaient une bibliothèque – très pratique pour ceux qui aimaient lire dans le bain !

Grandeur et décadence de Rome

Où allait-on aux toilettes ensemble ?

Les Romains n'allaient pas aux toilettes seuls. Parfois, jusqu'à seize personnes s'asseyaient côte à côte, riant et discutant entre elles. Toutes les villes avaient des cabinets publics à sièges multiples. Ils étaient peu chers à construire et faciles à nettoyer.

OCCUPÉ

● Les maisons avaient rarement des toilettes. On utilisait donc de grandes jarres en terre.

Qui habitait en hauteur ?

L'espace habitable manquait à Rome. Les gens ordinaires vivaient surtout dans des immeubles de six étages. Le rez-de-chaussée était occupé par des boutiques et des tavernes bruyantes. Sous les toits, les mansardes étaient étouffantes. Il valait mieux habiter entre les deux.

● Les Romains aimaient jardiner. Les jardins des riches avaient des bassins et des fontaines. Mais même les plus pauvres ornaient leurs bords de fenêtre de fleurs.

● Les immeubles romains étaient si mal construits qu'ils s'écroulaient souvent. L'empereur Auguste fit donc interdire les nouvelles constructions de plus de 20 mètres de haut.

Quelles maisons avaient des trous dans le toit ?

Les maisons des riches étaient construites autour d'une cour intérieure. Le toit ouvert laissait passer la lumière du jour et les brises fraîches l'été, mais aussi le vent froid et la pluie l'hiver.

Quel chien de garde était en pierre ?

Beaucoup de maisons romaines avaient un chien de garde représenté en mosaïque près de la porte d'entrée. Ces œuvres étaient réalisées avec des petits morceaux de pierre. Les mots CAVE CANEM (« Attention au chien ») dissuadaient les voleurs !

CAVE CANEM

19

Qui apportait esclaves, épices et soie ?

Les marchands voyageaient dans tout l'Empire et au-delà pour rapporter des marchandises aux Romains. Ils faisaient le négoce d'articles courants comme des grains et du bois, ainsi que d'esclaves d'Afrique du Nord, d'épices d'Inde et de soie de Chine.

● Ostie était le port de Rome, situé à 25 kilomètres de la ville. Des sacs de grains, des amphores de vin et d'huile d'olive étaient stockés dans les entrepôts du port et acheminés sur les marchés par bateau.

● L'hiver la plupart des marchands laissaient leur bateau au port, à l'abri des tempêtes.

● Pour éviter les embouteillages à Rome, les marchands et les fermiers devaient apporter leurs produits la nuit. Avec toutes ces charrettes bruyantes, il devait être difficile de dormir !

Où se trouvait le plus grand marché du monde ?

Le Forum de Trajan était un marché au centre de Rome, constitué de 150 boutiques, de bureaux et d'un grand espace ouvert où les marchands installaient leurs étals. Les citoyens s'y promenaient, regardant les marchandises et bavardant avec leur famille et leurs amis.

Les Romains mangeaient-ils des pizzas ?

Les Romains achetaient chaque jour, dans les échoppes et les tavernes des grandes villes, des tourtes chaudes et des mets savoureux, rappelant les pizzas actuelles. Ces « pizzas » étaient couvertes d'oignons, de poisson et d'olives, mais pas de tomates qui ne furent apportées d'Amérique du Sud que 1 500 ans plus tard.

● Les tavernes vendaient des plats chauds et des boissons, les cuisines étant rares et les fours interdits dans les immeubles.

● Durant l'été, les riches rafraîchissaient leurs boissons avec de la neige descendue des montagnes par les esclaves.

Qui vomissait aux banquets ?

Lors des grands banquets, les Romains ne pouvaient goûter à tous les magnifiques plats et breuvages. Ils allaient parfois dehors pour se faire vomir et retournaient ensuite à table pour manger à nouveau !

● Les riches mangeaient toutes sortes de plats originaux tels que de l'autruche bouillie ou des loirs au miel. Ils aimaient aussi les surprises. Lors d'un banquet, un cochon rôti fut découpé et des oiseaux vivants en sortirent !

Qui mangeait allongé ?

Les riches ne s'asseyaient pas à table. Ils étaient allongés, appuyés sur leurs coudes, sur des divans en bois, ne craignant pas d'indigestion. Les enfants s'asseyaient sur des tabourets aux côtés de leurs parents.

Qui allait à l'école ?

● Les enfants romains étudiaient seulement trois matières à l'école : lecture, écriture et calcul.

Les enfants des familles riches allaient à l'école à l'âge de sept ans. Mais les enfants des pauvres restaient chez eux. Certains aidaient leurs parents à la maison ou aux champs. D'autres cherchaient du travail ou jouaient dans la rue.

Quelle langue parlaient les Romains ?

Tous ceux qui vivaient en Italie parlaient le latin. Ailleurs, dans le reste de l'Empire, on parlait la langue locale. Mais il y en avait tellement que les habitants de toutes les régions de l'Empire devaient apprendre aussi le latin, afin de se comprendre !

• Les filles quittaient l'école à onze ans mais les garçons restaient jusqu'à seize ou dix-huit ans.

Avec quoi jouaient les enfants ?

Les jouets n'étaient pas très différents de ceux d'aujourd'hui. Les Romains jouaient aux billes avec de petites noisettes ou s'amusaient avec des dés en os. Des vessies de cochons gonflées comme des ballons servaient même à jouer au football !

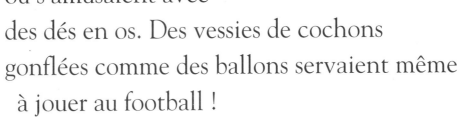

• Les Romains aimaient griffonner sur les murs. Sur beaucoup de constructions, on peut encore voir les injures qu'ils écrivaient à propos de leur chef, leurs ennemis ou même leurs amis.

CAESAR HORRIBILISSIMUS EST

• Les Romains écrivaient les chiffres avec des lettres :
I correspond à 1,
V correspond à 5,
X correspond à 10,
L correspond à 50, etc. Comment est écrit le numéro de cette page ?

I, II, III, IV, V, VI, VII, VIII, IX, X, XI, XII, XIII, XIV...

Pourquoi les routes étaient-elles si droites ?

Les Romains étaient de brillants ingénieurs. Avant de construire une route, ils utilisaient des instruments de mesure pour calculer son itinéraire. Ils choisissaient le trajet le plus court et le plus droit pour relier deux camps, forts ou villes, et enlevaient tout arbre, construction ou obstacle se trouvant sur le chemin. Les routes reliaient tout l'Empire.

PLAN

ÉLÉVATION

ARCHITECTE Marcus

● Les entrepreneurs plaçaient des bornes le long des routes afin que les voyageurs sachent quelle distance ils avaient parcourue. Un mille romain faisait 1,481 kilomètre.

● Les routes étaient faites d'une épaisse couche de sable, couverte de cailloux puis de graviers. Au-dessus, les Romains imbriquaient des pavés soigneusement taillés pour obtenir une surface plane.

ROME 300 KM

Quels ponts étaient toujours pleins d'eau ?

Les aqueducs ressemblent aux ponts, mais un profond canal rempli d'eau remplace la route. Les Romains les construisirent pour acheminer l'eau des torrents montagneux vers les villes. Sans aqueducs, les habitants n'auraient pas eu les thermes, les toilettes et les fontaines d'eau fraîche.

grippa II

CLAUDIUS
EMPEREUR

● Les Romains inventèrent le béton en mélangeant de la chaux, de l'eau et de la cendre volcanique. Ce béton était aussi dur que la pierre, résistant même à l'eau.

● Les Romains inventèrent aussi les arches. Chacune reposait sur une charpente en bois jusqu'à la pose de la dernière pierre, la clé de voûte.

Qui était jeté aux lions ?

• L'amphithéâtre de Rome était le Colisée. Il pouvait recevoir 50 000 spectateurs assis.

Certains jours, les gens affluaient dans l'amphithéâtre pour assister à des spectacles extraordinaires. Les chrétiens, les criminels et les esclaves étaient jetés dans l'arène avec les lions et étaient chassés, blessés et tués. La foule acclamait bruyamment. Elle trouvait amusant de voir les gens souffrir – mais pour nous, cela paraît méchant et cruel.

• Les gladiateurs étaient des prisonniers ou des esclaves envoyés dans l'arène pour tuer des animaux ou s'entre-tuer devant des foules assoiffées de sang.

● Provenant de tout l'Empire, lions, léopards, crocodiles, loups et ours étaient envoyés à Rome par bateau. Des milliers étaient tués dans l'amphithéâtre en un seul jour.

Quel sport pratiquait-on dans l'hippodrome ?

L'hippodrome, ou cirque, était un immense stade avec une piste de course ovale. Il s'y déroulait des courses de chars passionnantes. C'était le sport préféré des Romains, et des foules énormes remplissaient l'hippodrome pour parier sur leurs équipes favorites.

Où peut-on visiter une ville romaine ?

Pompéi était une ville très active près de Rome. En l'an 79 apr. J.-C., un volcan voisin entra en éruption et ensevelit la ville sous les cendres. Pompéi resta enfouie pendant des siècles jusqu'à ce que des fermiers découvrent des vestiges romains. On peut la visiter et imaginer la vie à l'époque romaine.

● Les archéologues font des recherches à Pompéi depuis le XIXᵉ siècle, et ont mis au jour une ville romaine presque intacte.

RECONSTITUER UN CORPS

1 Ensevelis sous les cendres volcaniques, les corps se décomposèrent, laissant leur empreinte dans la cendre durcie ou la roche.

2 Les archéologues utilisèrent ces empreintes comme moules et y versèrent du plâtre.

3 En ôtant la roche, ils obtinrent des répliques en plâtre qui leur permirent d'en savoir plus sur la vie romaine.

● Le Vésuve était un volcan actif. Il projeta des pluies de cendres sur Pompéi, et les fumées toxiques tuèrent les habitants.

● L'Empire romain s'affaiblissait, attaqué par les guerriers venus du nord et de l'est, qui divisèrent l'Empire en plusieurs petits royaumes.

Comment connaissons-nous les Romains ?

L'Empire romain prit fin dans les années 470 apr. J.-C. Pourtant des édifices, des mosaïques, des écrits, des peintures et des armes ont survécu. Ces vestiges nous décrivent les habitants et leur mode de vie.

● Certaines découvertes romaines sont étonnantes. Des archéologues ont déterré à Londres une culotte en cuir noir. Qui a bien pu la perdre il y a tant d'années ?

Index

A

Afrique 4, 5, 10, 20
Alpes 4, 5, 11
amphithéâtre 7, 28-29
Apollon 13
appartement 18, 22
aqueduc 27
archéologue 30, 31
armée 5, 7, 8-9, 10, 11, 12
Auguste 7, 18

B

banquet 23
bateau 20
borne 26
boutique 18, 21
Boudicca 11
Bretagne 4, 5, 10, 11
    (actuelle Grande-Bretagne)

C

Caligula 6
Capitole (colline) 11
Carthage 4, 10
char 11, 29
chiffre 25
cirque *voir* hippodrome
citoyen 7, 9, 15
clé de voûte 27
Cléopâtre 10
Colisée 28
commerce 20-21

D

Diane 13
dieu et déesse
    6, 12-13

E

Égypte 4, 5,
    10
école 24, 25

empereur 6, 7,
    15
esclave 7, 14,
    15, 20, 22,
    28

G

Gaulois 4, 11
gladiateur 28

H

Hadrien 6
Hadrien (Mur d') 4, 10-11
Hannibal 10-11
hippodrome 29

J

jouet 25
Junon 13
Jupiter 12

L

latin 24

M

maquillage 14
marché 7, 21
Mars 12
marchand 12, 20

N

Neptune 13
Néron 6
nourriture 8, 9, 22-23

O

Ostie 20

P

perruque 15

Pompéi 4, 30-31
port 20

R

route 26-27
Rome 4-5, 6, 18, 20, 21, 28

S

sénateur 7, 15
soldat *voir* armée
strigile 16

T

taverne 18, 22
temple 11, 13
thermes 7, 16-17, 27
toge 15
toilettes 17, 27
Trajan (forum) 20

V

Vénus 12
Vésuve 31

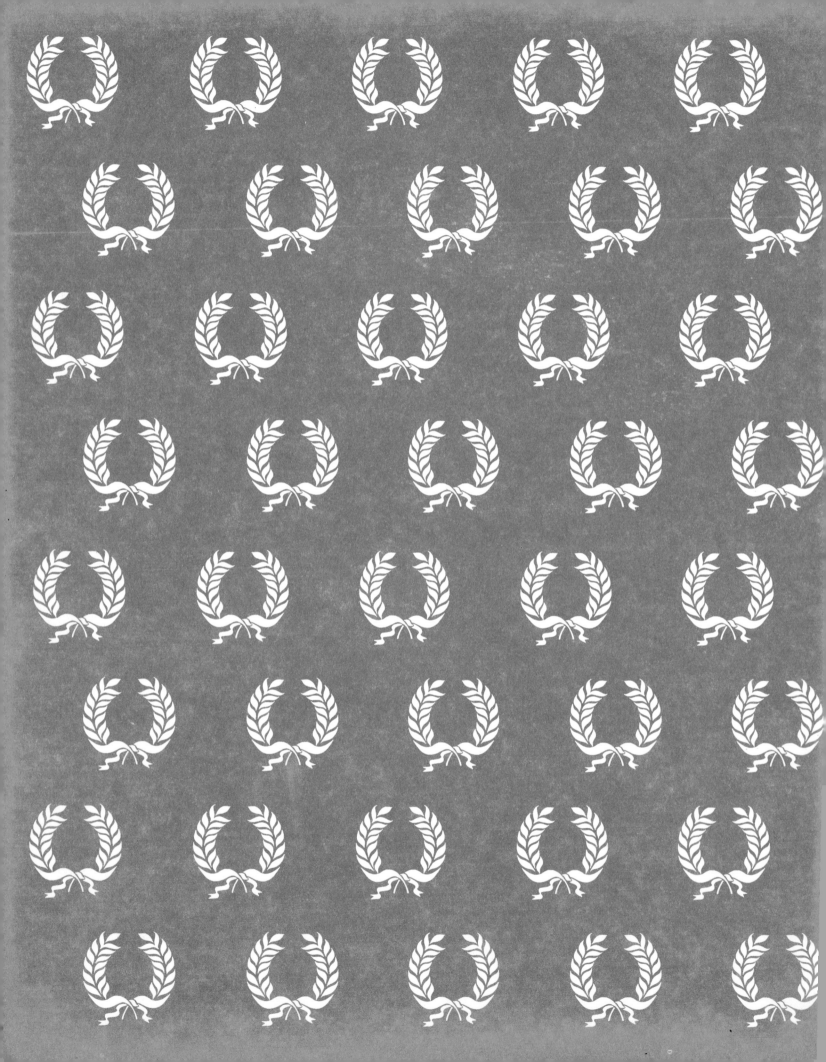